BITW TACLUS

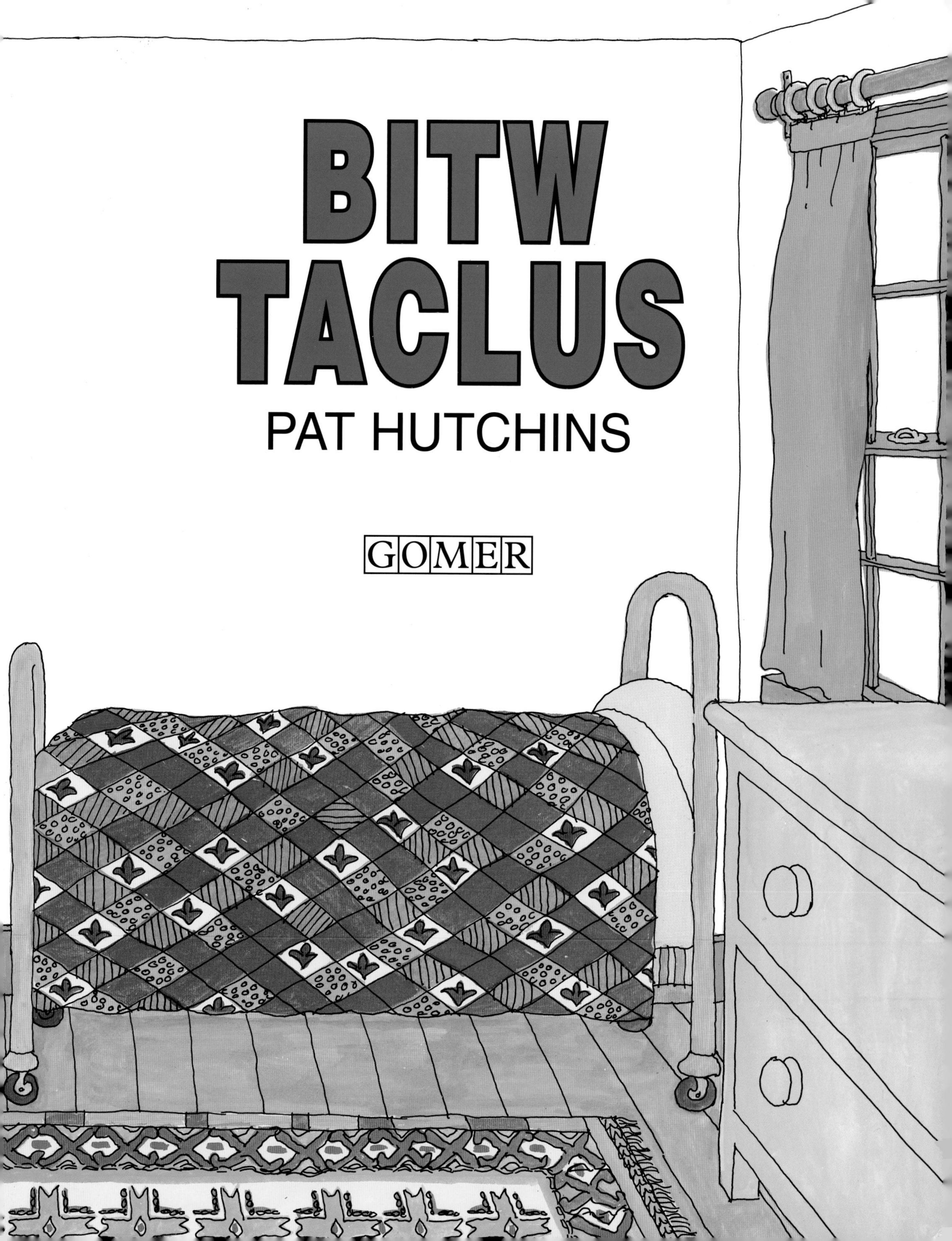

BITW TACLUS

PAT HUTCHINS

GOMER

Cyhoeddwyd gyntaf ym 1991 gan
Random House Children's Books,
20 Vauxhall Bridge Road,
Llundain SW1V 2SA
Teitl gwreiddiol: *Tidy Titch*

Argraffiad Cymraeg cyntaf, 1996
ISBN 1 85902 307 X
Dymuna'r cyhoeddwyr gydnabod cymorth
Adrannau Cyngor Llyfrau Cymru
Cyhoeddwyd gan Wasg Gomer, Llandysul, Dyfed
Argraffwyd yn China

BITW TACLUS

‘Mae stafell Bitw mor daclus,’
meddai Mam wrth Pedr a Mair.
‘Ond mae’ch stafelloedd chi’n anniben.
Gwell i chi dacluso.’

'Mi helpa i,' meddai Bitw
wrth i Mam fynd i lawr y grisiau.

‘Rwy’n mynd i daflu’r
tŷ doli,’ meddai Mair,
‘a’r teganau ’ma.
Rwy’n rhy hen i
chwarae â nhw.’
‘Dw i ddim,’ meddai Bitw.
‘Ga i nhw?’

Cariodd Bitw'r tŷ doli
a'r teganau i'w stafell.

'Rwy'n mynd i daflu'r hen
wisg ofod,' meddai Pedr,
'a'r wisg gowboi. Maen
nhw'n rhy fach i fi.'
'Ond maen nhw'n iawn i fi,'
meddai Bitw. 'Ga i nhw?'

Cariodd Bitw'r wisg ofod
a'r wisg gowboi i'w stafell.

‘Mae fy stafell i’n dal yn anniben,’ meddai Mair. ‘Gwell i fi gael gwared â’r pram a’r hen gêmau ’ma. Rwy wedi chwarae â nhw gannoedd o weithiau!’

‘Dw i ddim,’ meddai Bitw.
‘Ga i nhw?’

Aeth Bitw â'r pram a'r hen gêmau i'w stafell.

‘Mae fy stafell i’n dal yn anniben,’ meddai Pedr. ‘Gwell i fi gael gwared â’r hen deganau ’ma. Wna i ddim chwarae â nhw.’
‘Mi wna i!’ meddai Bitw. ‘Ga i nhw?’

Cariodd Bitw'r hen deganau i'w stafell.

Daeth Mam i fyny'r grisiau. 'O, mae'ch stafelloedd chi'n daclus!' meddai Mam.

'Fuodd Bitw'n helpu?'

'Do, wir,' meddai Pedr a Mair.